U0123298

I AM

BTS

防彈少年團 I AM

目　　錄

BTS在聯合國大會的演講

2018年9月24日BTS在美國紐約舉行的第73屆聯合國大會上登場，參加了聯合國兒童基金會青年議題「Generation unlimited」活動，代表全世界年輕人進行了約7分鐘的演講。隊長RM真誠地演說了7分多鐘，主要想傳達訊息：「真正的愛是從愛自己開始，即便多少有些不足，也要接受我自己的模樣，所以要坦率、堂堂正正地展現自己的樣子和聲音」。下面是演講稿的內容。

我曾經是個有幸福童年又平凡的少年，我常常仰望夜空，想像自己是個能拯救世界的英雄。

在我們歌曲中，有一段這樣的歌詞：「我的心臟在九、十歲的時候停了。」回想起來，我好像就是從那時候，開始擔心別人是如何看待我的，開始透過別人的視角來審視自己。我不再仰望夜空，不再仰望星星，也不再做白日夢。我開始努力迎合其他人所期待的我，我開始扼殺自己的聲音，開始聽從別人的聲音。沒有人呼喚我的名字，甚至連我自己也沒有。

就算是決定加入防彈少年團，前方的路還是充滿障礙，很多人說我們沒希望了，有時候我也曾想過放棄，但現在想想，好險我沒有放棄。然而我確信，未來我們還是會繼續跌跌撞撞地前進。

說不定昨天我也犯錯，但昨日的我依然是我，而今天帶著缺點與

過錯的我，也依然是昨日的那個我。明天的我，可能會比今天成為稍微好一點的人，然而那也是我其中一個面貌。過去的錯誤造就了我，成為我生命中最閃耀的星星，我開始學會愛現在的我、過去的我，以及我希望成為的那個我。

在我們發行專輯《LOVE YOURSELF》並開始「LOVE MYSELF」的活動後，我們從全世界粉絲那聽到令人動容的故事，他們克服自己的困難，開始愛自己，這也表示我們想傳達的訊息幫助了他們，也讓我們有了很大的責任感。

我們已經學會如何愛自己，現在是時候為自己發聲了，我想問你們：你叫什麼名字？什麼事情會讓你心動，讓你的心劇烈跳動？我想聽見你的聲音，我想聽見你的信念，無論你是誰、從哪裡來、你的膚色、性別認同是什麼，請為自己發聲，透過表達自己找到自己吧。

我和很多人一樣，犯過非常多錯誤，我有很多缺點，也有很多恐懼，但是我會盡我所能地接受自己，一點一點地學習愛自己。

你的名字是什麼呢？為自己發聲吧。

2018 年 9 月 24 日，BTS 防彈少年團出席在美國紐約召開的第 73 屆聯合國大會做演講。（達志影像提供）

防彈少年團

BTS 防彈少年團參與美國 2019 iHeartRadio Jingle Ball 的演出。（達志影像提供）

BTS 防彈少年團於美國紐約參與 2019 Good Morning America 的演出。（達志影像提供）

BTS 防彈少年團 2019 年 12 月 31 日於美國紐約時代廣場跨年表演。（達志影像提供）

BTS 防彈少年團在 2019 年 MAMA 頒獎典禮。（達志影像提供）

I AM 進入之前

這裡是美國最大的橄欖球賽場之一——洛杉磯玫瑰碗體育館。
引以為榮的 K-POP 的指標！防彈少年團的演唱會將在此開始，現場已經聚集了數萬名的粉絲！
哇啊
哇啊啊

為期兩天的洛杉磯演唱會門票已售罄，
預計將有約 12 萬名歌迷觀看演出。

天啊～不是在開玩笑的，到底他們怎能那麼紅？
ㄎㄎ！哥哥，你知道你現在講的話，就跟上了年紀的老人一樣嗎？

不過演唱會一張票賣多少啊？12萬人的話，到底賺了多少錢？

真羨慕他們。只要跳著喜歡的舞、唱唱歌，就能賺很多錢吧？而且還能得到人氣。

好羨慕，好羨慕…我的人生是這樣，他們卻一生出來就有這樣的福氣…唉～
咦？說什麼福氣呀！再說，哥哥你的人生又怎麼了？

你覺得成為人氣偶像後，過著幸福快樂的人生，是可以和像我這樣每天悶在家煩惱的人生比較嗎？

身為偶像歌手，能每天都過得開心愉快嗎？況且，這是一份比誰都還辛苦，還更需努力的工作…

妳是 BTS 的經紀人嗎？不懂還硬要裝懂！
嗯…其實到前陣子為止，我和哥哥有一樣的想法…

但認識了 BTS 之後，我才知道我之前的想法錯了。
是他…他們告訴你不是這樣的嗎？還是怎樣？

BTS 代表著不安、苦惱、徬徨的年輕世代。他們說千萬不要感到挫折，要加油向前走，甚至告訴我們要愛自己。

雖然有很多大人也會這樣告訴我們，但是BTS親自將這一切展現出來。曾經沒沒無聞的七名少年，戰勝了困難和挫折，搖身一變成為世界級的歌手。

這些過程…妳全部都看到了嗎？妳？怎麼看的？
不只我，還有全世界的粉絲們！

快來，你也是第一次認識BTS吧？

跟著我，我帶你去看！
喔喔！

BTS

第1章

七個原則

京畿道 益山
喂！
金南俊！
我們去吃
漢堡吧！
叮咚
叮咚
對不起，
我今天有約了。

我先走
了！

南俊曾經只是個喜歡 Rap 的平凡學生。

南俊，馬上輪到你了。
啊，好！

接下來是Runch～Randa！
嚓
哇
但是放學後，南俊就會搖身一變，成為在地下舞台表演力量十足的饒舌歌手「Runch Randa」。
啊
哇

啪
今天的公演也
順利成功！
辛苦了！

你剛剛有看到南俊唱 Rap 的時候，觀眾的表情嗎？一開始臉上寫著「什麼啊？那小鬼」…
後來變成「天～啊！」的表情。

哎唷～
別開玩笑了！
真的啦！
我們都看到了。

天啊，已經
這麼晚了…！

時間不早了。

對不起，
因為我今天有
公演…
就算這樣，
都這麼晚了，
別讓我操心。

我怕他沉迷於音樂而疏忽學業，
正處於決定前途的時期…
他自己會看著辦，
別擔心。

….

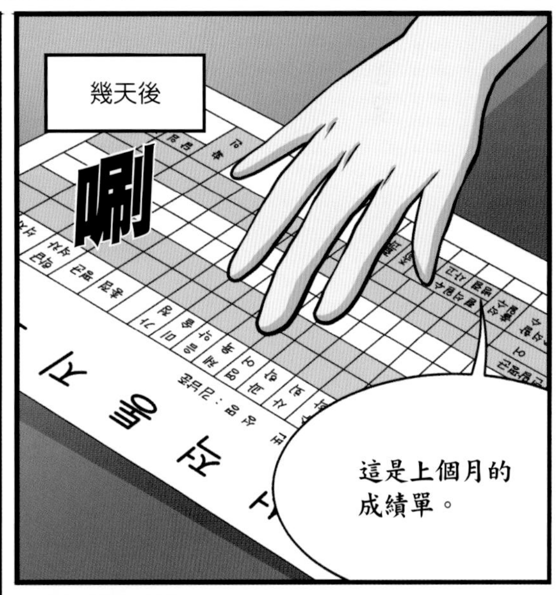
幾天後
唰
這是上個月的
成績單。

我看看…
成績…

南俊是全國前 1.3%，也就是進了韓國學生前 5000 名的程度，成績非常優異。
咦，進步了耶？
天啊！

雖然我最近沉迷於饒舌音樂，但對於學習或學校生活，我從來沒有怠惰。

是…是啊，所以我也沒多說什麼，不是嘛。
維持這個成績的話，進入名門大學也沒問題！做得很好。

但最近我經常煩惱著，學習真的是我人生的全部嗎？
我在學校考試得到好成績，不一定能保證成功。

你…
說什麼？
南俊，但是大部分的人都是這樣…

성적통지표
就這樣看來，我也只是全國第 5000 名的學生而已。

父母原本想要讓成績優秀的南俊繼續學習，和南俊的想法並不相同。
我開始 Rap 後，第一次開始有了想要成為第一名的夢想。
爸爸媽媽希望有個第一名的兒子，還是想要一個只滿足於 5000 名的普通兒子？

但是 Rap 和學業不一樣嘛。
每個人對於「成功」的定義也都不一樣。

我認為能盡情地做自己想做的事才叫成功！

大邱廣域市

請收下。

這是什麼？
是 CD 耶？

這是你一直在等的混音帶。

哇！這麼快
就完成了？
那個錄音不是才剛出來
一週而已嗎？

啊～就…熬夜
幾天而已。

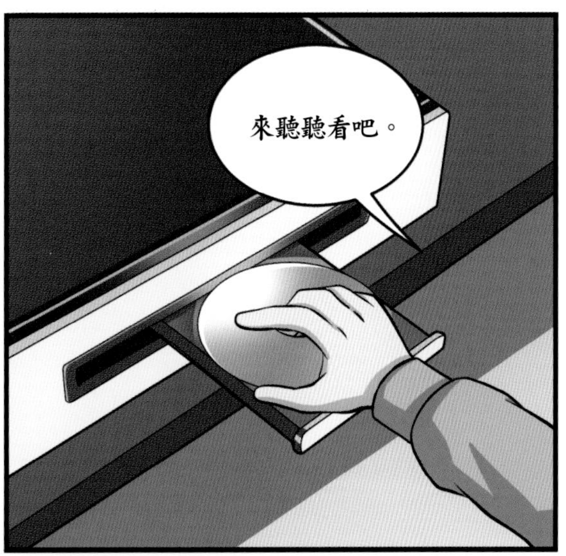
來聽聽看吧。

咚滋
咚滋
哎唷…我聽了數百遍，
都膩了。

哇～原來在大
邱也能做出這
樣的音樂呀！
這個只要有設備，不
論在哪都做得出來啊。

比起這些，年幼的玧其竟
然能如此熟練地自行創
作，這件事更令人驚訝。

玧其從 17 歲開始就在錄音室打工，對音響和設備的操作都非常熟悉了。

我想說的就是這個！哎唷～可愛的小鬼！
啊～別弄了！

什麼時候也能幫我一下啊，玧其。
隨時都可以！不過最近可能比較沒辦法。

為什麼？有什麼事嗎？
啊，其實我還有其他事情要準備。

雖然還沒完成，你要聽聽看嗎？

★518 **民主化運動** 1980 年 5 月 18 日前後，因全羅南道及光州市民譴責執政黨的陰謀，民眾抗爭並要求實現民主主義的法定紀念日。

下次見！
慢走！
再見！
SKY

你不覺得玧其這傢伙，那小鬼真的很厲害嗎？
對啊，想法和同年齡的孩子完全不同。

能夠將沉重的歷史事件用Rap詮釋…真大膽。
就是說啊！嚇我一跳。

玧其總有一天會出大事的，這是誇獎！
點頭
點頭

光州廣域市

砰
咚

7
10
2
7比2！

呼
呼
呼

都整理好了吧？
當然！

號錫呢？
在那裡。

！
他從剛剛開始就一直這樣了。

因為輸給姊姊而氣餒呀！該怎麼辦呢？

號錫啊！

雖然輸掉比賽有些可惜，但是「勝不驕，敗不餒」的精神也很重要，所以…

爸爸…

號錫是個天生樂觀、積極的孩子。
這裡有一個螞蟻窩！不覺得很神奇嗎？在這種地方怎麼蓋得了房子呢？
難道不是因為輸了比賽才意氣消沉的嗎？
咳！什…什麼？

咚咚
咚
咚次
次
啊啊～吵死了！

一下子
喂！鄭號錫，你到底聽什麼音樂這麼大聲…

哇…
嗯？
妳叫我了嗎？
啊…沒事。
不過你舞跳得好！
真的嗎？
號錫從國中時期就對音樂和舞蹈產生興趣，而且沉迷於跳舞。
哇～好寬敞！果然舞蹈學院就是不一樣！
來，
這裡是練習室。

★街頭舞者 非傳統舞蹈或純粹舞蹈，而是以流行文化為基礎，在街上或夜店等場所跳舞的人。

釜山廣域市
來囉！
唰
進～球！
沒有運動項目是柾國不會的，他是個多才多藝又充滿活力的少年。
大家都要好好向柾國學習射門的姿勢！
是！
是！
唉唷～我的腰！
真的好累哦。

咻
咻
訓練都結束了，要不要來打一場羽毛球？

你不累嗎？
你不知道嗎？柾國可是有無限的體力呀。

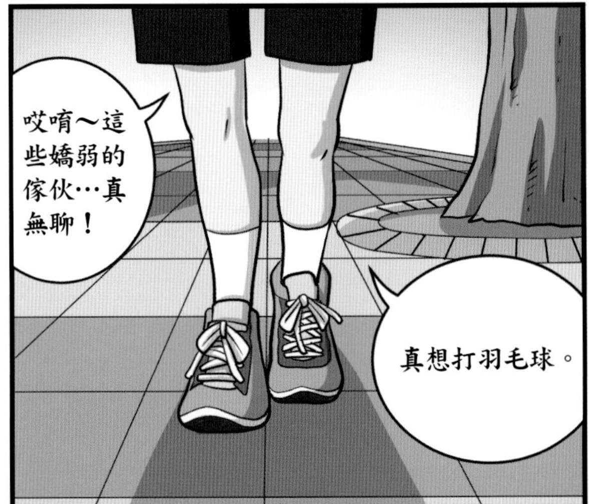
哎唷～這些嬌弱的傢伙…真無聊！
真想打羽毛球。

咦？

柾國偶然地看到
G-Dragon 的表演，瞬間
陷入了 K-POP 的魅力。
華麗的舞台、帥氣的音樂、充滿自信的動作…太帥了！

有一天我也要站上那種舞台！

從那天之後，柾國開始只關心音樂及跳舞。
是這樣跳的嗎？

真有趣！好像能一整天都只跳舞。

慶尚南道
奶奶！
唉喲，我的孩子來了呀！

媽，泰亨就暫時交給您了，因為最近我們夫妻倆實在太忙了。
來了呀。

我當然樂意，
但我擔心泰亨…
在鄉下會不會悶悶不樂…

泰亨幼年時期在慶尚南道
居昌的奶奶家度過。

雖然在農村長大，卻也讓泰亨
變得特別有禮貌又善良。
我來幫您！
謝謝，你是泰亨，
對吧？

啊！得去幫忙
才行！

爺爺，
我來幫您！
噠噠噠噠
救…
救命啊！

有一天
這是什麼？
來，這是禮物。

哇！是薩克斯風嗎？
沒錯，你不是說
你的夢想是成為
歌手嗎？

想要成為歌手，
至少要熟練幾個
樂器，才能有競
爭力，不是嗎？

對年幼的你來說，雖然是一種
陌生的樂器，但只要你努力學
習和練習，一定會有幫助的。
謝謝爸爸！

叭—叭
我只是夢想著成為歌手，但爸爸
都為我想好了！

從那時開始，泰亨認真學習薩克斯
風，沒過多久就達到能參加比賽的水
準。

不過
我那麼認真練習…
竟然落榜了…!

原本想靠薩克斯風上藝術高中的計畫泡湯了，泰亨非常失望。
現在怎麼辦？夢想好像在一瞬間破滅了，真是迷茫。
你就因為這點小事整天愁眉苦臉？
？
小意思，讀別的學校就好啦！
轉換一下心情，順便來看看我們的練習室，哥哥們會教你跳舞。
左搖
聽過嗎？嘻哈舞～蹈！
右晃
你看到我們的實力一定會嚇一跳。
搖晃
哦哦哦～跳得不錯耶？
哦哦哦～天啊！跳得比我還厲害，還不錯耶？
咦…？好像越跳越有趣耶？
原本感到挫折的泰亨，沒過多久就找到自己另一項天賦，就是跳舞。

京畿道果川

碩珍，起床了，
該去上學了。

我知道了，媽媽。

就算是剛睡醒都這麼
帥呀！雖然是我兒
子，但也太神奇了。
果然生兒子是對的！
一閃
一閃

不論走在哪，外貌絕不輸人的碩珍，
曾經是個夢想成為演員的演劇電影學系學生。
天啊，是我
的理想型！
啊～太帥了，
好像看到年輕的我。
這個老頭子～眼睛
還好好的，但記憶
力卻變差了呢！

為什麼大家都這樣看
我呢？我的臉上有什
麼嗎？

那個，學生！
請問你有時間嗎？

咦？
有什麼事嗎…
哦～連驚訝的表情
都好帥！

我們是SM演
藝公司的經紀
人，你沒想過
要當藝人嗎？

風格也非常出色…
臉也好看。
對，就是他了！

藝…藝人嗎？

매니저 사기
연예인 지망생・사기・
상대 사기
這個人…難道是騙子嗎？

我…不用了。
馬上和我們一起去試鏡會…
不管怎麼看都是會紅的樣子！

不，我不要！
一定要趕快逃走！

從大學開始，碩珍便經常收到各種演藝公司的試鏡邀請，但每次都被他拒絕。
一下子
快逃啊！

怎麼突然逃走了…
感覺我們好像變成壞人了。
呼～不管別人怎麼說，我的夢想就是要成為演員！

釜山廣域市
왕족발

喂！

公演還沒結束耶，你要去哪？
我家有事，不趕快回去的話會被禁足。

智旻，真羨慕你，父母都不會阻止你跳舞。

不管怎樣，我先走囉！幫我和其他人說一聲。
好啦，真拿你沒辦法。

智旻！等一下就輪到我們表演了！
知道了。

智旻曾像其他同齡孩子們一樣，是個喜歡跳舞的少年。

好險我的父母沒有反對我跳舞。
不過大人們會反對跳舞應該也有他們的理由吧？

啊～
今天腦子特別亂！
搖來
晃去

咦？那個人怎麼跳得不一樣？
是故意的嗎？

啊！因為想別的事情，所以跳錯了！

眼看就要升高中了，喜歡跳舞的智旻決定了自己想走的路。
什麼？
你要學現代舞？
那種舞不是女生
在跳的嗎？

沒辦法，想進
藝術高中的話
就要學。

因為沒有嘻哈
舞蹈系或主修
是跳Poppin的。

不過現在開始學現代舞，
時間夠嗎？
其實我也
很擔心。

別擔心，你對跳舞很有天
分，一定很快就能學會的。

當然，那個從全體新生中脫穎而出的第一名就是智旻。

完全在不同地區和環境長大的 7 名少年，他們正一步一步朝自己的夢想前進。

ARTIST

知識補充

第一個

了解一下什麼是嘻哈音樂

「嘻哈音樂」經常被用來表示為大眾音樂的一種體裁。
但是如果再仔細了解，可以知道這是從1970年代開始，以美國黑人社會為中心形成的文化現象，所以嘻哈文化中不僅有Rap和DJ等音樂要素，還包含舞蹈和塗鴉等。

饒舌 Rap

是用反覆節拍作為背景音樂，對上旋律快速地將歌詞唱出來。有整首都用Rap方式完成的歌曲，當然也有歌曲是僅在中間部分加入Rap。讓Rap充滿魅力的要素是「押韻」及「流暢度」，押韻是一種技巧，為反覆使用相似或相同發音的歌詞；然而，一不小心會讓人感覺像在喃喃自語的Rap，韻律感也是不可或缺的要素，流暢度就是在涉及整個Rap中自然的節奏感。

打碟 DJing

打碟和Rap一起被選為嘻哈音樂的代表要素，這是因為即興Rap或跳舞的時候，DJ都會負責背景音樂。 為了根據情況和氣氛不間斷並流暢地更換背景音樂，DJ會反覆播放歌曲的部分區間，或故意製造出刮

唱盤的聲音，有時候DJ們也會混合2首以上的音樂或是將歌曲編輯成完全不同的感覺。

街舞 B-boying

街舞可說是伴隨著嘻哈文化而出現的一種街頭舞蹈，也被稱為「Breaking」。音樂中沒有旋律，只有節奏的部分被稱為「地板舞區間」，此時DJ們會特別強調這部分的重拍。在地板舞區間時，隨著強烈的節奏激烈舞動的舞者們被稱為「B-boy」，這也就是B-Boying的開始，如今街舞已經成為國際性的文化。

塗鴉 Graffiti

指的是在公共場所的牆壁或建築物上，用噴漆等畫上圖畫和文字。 在城市中，居住品質、經濟、治安差的地區被稱為「貧民區」，塗鴉是典型的貧民文化之一，據說犯罪集團將標註自身訊息視為一個開始，而居住在貧民區的人大部分是黑人，因此塗鴉也就自然而然地與嘻哈文化結合在一起，部分塗鴉作品還被認定為藝術。

ARTIST

粗俗的音樂，還是裝模作樣的音樂？

嘻哈音樂的魅力之一就是流暢的「歌詞」。
鐃舌歌手們不會特別去修飾自己的情緒，而是會直接又坦率地表現出來。
嘻哈音樂之所以會具有這樣的特徵，其實與嘻哈音樂形成的背景有關。

誕生於貧民區的嘻哈音樂

嘻哈音樂的誕生也與貧民文化有很大關係。在貧窮、暴力、藥物等艱困又惡劣的環境中成長的饒舌歌手們，想用自己的語言和方式來呈現出那些痛苦的時光，自然而然地歌詞裡就會充斥著粗俗的詞語。另外，成功的饒舌歌手之所以會在歌曲中加入過分地裝模作樣和自戀的歌詞，應該也是源自於想要理直氣壯地表現出自己戰勝苦難、取得成功的自負感。

獨特的嘻哈文化——Diss

嘻哈音樂也被稱為「粗俗音樂」，在嘻哈音樂界裡有著「Diss」的獨特文化。以具有「詆毀」意思的「Disrespect」衍生而來的單字，主要是指貶低其他組合或攻擊他人的歌曲。當某個饒舌歌手發表了詆毀其他饒舌歌手的歌曲時，那個被詆毀的饒舌歌手就會發表反駁的Diss曲，再加上第3、第4位饒舌歌手的參與，衍生為一場「饒舌戰」。 有時候，饒舌歌手之間激烈衝突也會演變成實際的暴力事件或殺害威脅。

知名的嘻哈音樂人

- **聲名狼藉先生（The Notorious B.I.G.）**創造出以複雜的歌詞和饒舌技巧為中心的「東岸嘻哈」。

- **傑斯（JAY Z）**饒舌歌手兼嘻哈音樂公司的老闆，也是一位企業家，在美國被選為最成功的嘻哈音樂家。

- **阿姆（Eminem）**罕見的白人饒舌歌手，以充滿故事的歌詞和出色的押韻技巧為名。

- **肯德里克•拉馬爾（Kendrick Lamar）**在推出出道專輯之前，就以混音作品擁有眾多網路粉絲的實力派饒舌歌手。

BTS

第2章

7人練習生

2010年
他是誰？是個實力派耶？

很厲害吧？他叫Runch Randa，現在才上國中而已。

竟然能用還沒變聲的稚嫩嗓音唱出那麼強烈的Rap！

Rapper Sleepy 是 Big Hit 經紀公司的製作人，所以向 Pdogg 介紹了南俊。
您說過要找新人Rapper，對吧？我發現了一個非常厲害的朋友。
哦～是嗎？

幾天後
Runch Randa和Iron，我們Big Hit經紀公司想要挖角你們兩人，怎麼樣？

哦，我們倆嗎？
如果是Big Hit經紀公司的話…

是房時爀製作人建立的演藝公司。
啊，是Hit-man房時爀！

沒錯，g.o.d、Wonder Girls、2AM…都是房時爀製作人的作品。
Big Hit 經紀公司創辦人兼代表的房時爀，
在當時已經是個成功的作曲家兼製作人。

我們這次正在策劃一個唱饒舌音樂的嘻哈組合，我覺得兩位很適合。
就這樣，南俊成了防彈少年團中第一位進入 Big Hit 經紀公司的成員。
雖然只是練習生，但感覺離夢想更靠近了。

同年， 2010 年，Big Hit 經紀公司
舉辦了 Rap 和跳舞的試鏡。
吵吵
鬧鬧
Big Hit
AUDITION

大邱 · 慶北地區
選秀會場
我是玧其！
我準備表演Rap。
彎腰
請開始。

嗯～不錯耶？
再加上他還有製作的能力。

預選通過
行了！好的開
始就是成功的
一半！

Rap 對決決賽的優勝者
就是～ i11evn
耶～耶！
…
雖然玧其順利通過預選，但很可惜地，在最後的對決只得到第 2 名。

不能錄取2名嗎？玧其真的很可惜耶。
雖然很遺憾，但沒辦法。
不過與被淘汰相比，太可惜了閔玧其的製作能力。
幸好玧其的製作能力出色，才得以和 Big Hit 經紀公司簽約。
太好了！這段時間的努力終於有回報了！

同時，號錫上課的舞蹈學院裡，也進行了非公開的試鏡會。
Big Hit Entertainment
天啊…
真是看不下去。
一二，一二！

行了，請出去！
Swag～
Swag～！

呼！要不要先休息一下？

原來是剛剛在選秀會上看到的人，名字叫smile…什麼來著？
smile hoya！本名叫鄭號錫。

沒錯，我還記得他跳舞跳得很好。
其實我早就屬意他了，想要選他才將他加入名單。

嗝～吃飽了。
那麼，要開始下午場的評選了嗎？

不是吧！
天啊！

那位朋友到現在還在跳舞？都不休息嗎？
好…好像是這樣。

號錫傑出的舞蹈實力和努力不懈的模樣，令評選委員驚訝不已。
看他的樣子做什麼都會成功，就選他吧。
我贊成！難怪那麼會跳舞。

2011年，柾國挑戰了當時最火紅的選秀節目「SUPER STAR K3」。
哇～看看這人潮…！
BEXCO
SUPER STAR K3 釜山區預選

都還沒開始就緊張了，看來這世上真的有很多實力派！

除了他們。

不知道是不是因為緊張的關係，
柾國沒有完全發揮實力。
…我可以給你的只有這一首歌，現在除了歌聲…咳咳，咳咳！

好了！我聽完了，請出去。

啊…被淘汰了！

下次一定要…
那個，學生！

雖然柾國在 2 次預選中落榜，
但他收到各家演藝公司提出的
練習生邀約。
你看起來很有天分，有興趣的話請聯絡我。
要不要和我們簽約？
不然，和我們！
也請收下我的名片！

2011 年 Big Hit 經紀公司試鏡——大邱 ‧ 慶北地區
選秀會場
泰亨，你真的不參加嗎？
你再考慮一下吧，聽說現場也可以報名。
不用了，我沒關係，而且我也沒得到父母的准許。

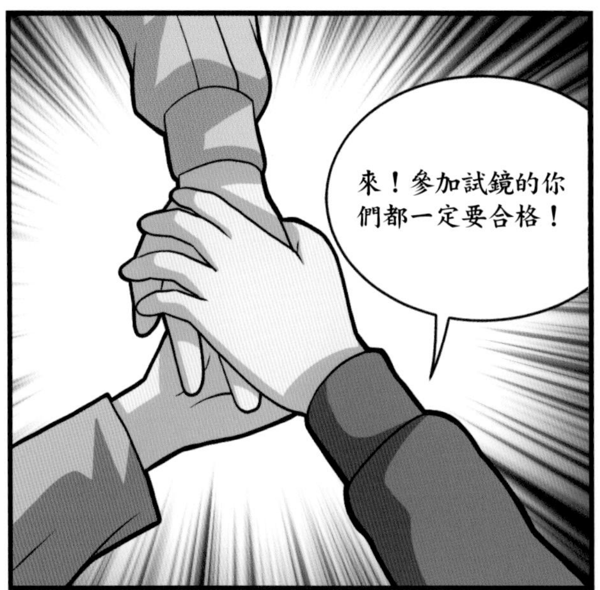
來！參加試鏡的你們都一定要合格！

一，二，三！
加油！

一起在舞蹈學院上課的朋友們都要參加選秀，但是泰亨沒有。
好好表現！
當然～！

那邊的
學生！
？

你很搶眼，請問你報名
哪個領域？
啊…我不是來參加
試鏡的…

我陪朋友來參
加試鏡，只打
算來參觀一
下。

不要這樣，你要不
要也參加試鏡？落
選也沒關係啊。
這個男孩一定有
什麼特別的！

沒有任何準備的泰亨，
偶然參加試鏡，
並且合格了。
聽說這次試鏡只有泰亨
你一個人合格。
咦？我合格了？為什麼？
天啊！
果然我的眼光
沒錯！

碩珍已經拒絕過無數次，但這次他有了不同想法。

說得也有道理，經驗越豐富，戲路就越寬廣。

2012 年 Big Hit 經紀公司練習室
等一下，集合！我要介紹新的練習生。

繼 2010 年選上的練習生——南俊、玧其、號錫後，2012 年再追加了 3 位新成員。
我是田柾國，請多指教，哥哥們！
Big Hit
我是金碩珍，幸會。
我是金泰亨。

★組合 有著相同目標的團體

我想加強主唱的部分，然後主推流行音樂怎麼樣…你們覺得呢？

您的意思…結果還是要打造成偶像團體，對吧？

是這樣沒錯，但這不是要拋棄Rap的意思，還是會以饒舌音樂為基礎！

但是我追求的是
正統的嘻哈音樂，而且我是以饒舌歌手的身分被挖角進公司的。

我沒有以偶像歌手出道的想法，我先走了。

我沒有理由留在這裡了，
你們打算怎麼樣？

一旦開始了，就要堅
持到底。我要留下。

我來到這裡後，更想深入學
習作曲和唱片製作了。

作為防彈少年團的預備成員，
有幾名練習生隨著自身的才能和信念，
選擇離開團隊或是轉戰其他領域。
我要重回地下舞台，
那裡才是我的位置。

2012 年 Big Hit 經紀公司試鏡——
釜山地區選秀會場
朴智旻，他即便和其他人做同樣的動作，也特別顯眼耶。
舞中帶有節奏感，卻又像流水般的柔和！
原來，他專攻現代舞蹈。
果然，基本功真是與眾不同！

2012 年中期，智旻作為防彈少年團成員中最後進入 Big Hit 經紀公司的練習生。
終於有點男團的雛形了。
Big Hit

一般來說，韓國的演藝企劃公司都會提拔有潛力的志願生，然後選為「練習生」，Big Hit經紀公司也差不多如此。
Big Hit Entertainment

일정표
唱歌課，然後練舞、外國語課程、體能訓練…啊～真累人！

該去上學了！我們遲到了！
呼！好累。

啊啊～都不知道一天是怎麼過去的！
噠
噠
噠
噠

ARTIST

知識補充

第二個

韓國團體歌手的歷史

1990年代中期

從「聽的音樂」到「看的音樂」

1990年代，韓國音樂界有了巨大變化，就是「舞曲」的出現。比起之前著重於聽覺欣賞的大眾音樂，舞曲是視覺上也能享受的音樂，歡快的節奏加上華麗的舞蹈，舞曲大受歡迎。

❶ 徐太志和孩子們（1992年出道）首次嘗試了「加入Rap的舞曲」，在當時可說是前所未見，甚至可以說「徐太志和孩子們為韓國流行音樂的分界點」。

❷ DJ DOC（1994年出道）雖然出道初期以舞曲亮相，但後來逐漸發展成嘻哈組合。透過愉快的歌詞和歡快的節奏，抒發社會問題和人們的刻板印象，也很有人氣。

❸ cool（1994年出道）男女成員混合的混聲團體。結合團體的特性，有許多男女對話形式的歌曲，並且利用各種道具或裝飾展現出有趣的舞台。

1990年代後期

偶像的全盛時期開始

1990年代後期，演藝企劃公司開始直接培養舞蹈歌手，透過試鏡選拔出有才能的青少年，再由專家進行歌唱和舞蹈訓練後，以歌手身分出道的體系，是在這個時候形成，以這種方式打造的歌手便是一代偶像團體。

❶ H.O.T.（1996年出道）系統選拔培養的第一個偶像團體。一出道就有了爆發性的人氣，影響了之後出道或正在準備中的所有偶像團體。

❷ Fin.K.L（1998年出道）無論是專輯還是歌曲，都設定為清純、可愛、成熟等截然不同的風格，在舞台表演、服裝和舞蹈上也有許多變化，這種方式也影響了之後的女子團體。

❸ g.o.d（1999年出道）與其他給大眾神祕或強烈印象的偶像們不同，他們展現出平凡又親切的形象，也因此受到各年齡層的喜愛。

2000年代

二代偶像出現

隨著第二代偶像的出現，大眾音樂從「聽的音樂」發展為「看的音樂」，再次進化為「跟著跳的音樂」。出現了重複單純卻具有中毒性節奏與歌詞的口水歌*，為了與其搭配，加入所謂的「重點舞蹈」，即簡單又有趣的舞蹈動作。

❶ **東方神起（2004年出道）**從名字就可以看出，是以進軍亞洲音樂市場為目的企劃並成立的偶像組合，不僅在韓國，在日本也有很高的人氣。

❷ **BIGBANG（2006年出道）**是一個大膽打破偶像團體公式的團體，現有的偶像們將重點放在具有統一性又整齊劃一的刀群舞上，而BIGBANG的舞台則集中於音樂的潮流和氛圍。

❸ **Wonder Girls（2007年出道）**以中毒性的旋律、個性強烈的復古服裝和容易模仿的舞蹈獲得了很高的人氣，進軍美國後，還登上「告示榜」熱門100排行榜。

2010年代

引領K-POP的三代偶像

與以電視媒體為主活動的上一代人不同，第三代偶像以網路為主展開活動。透過YouTube發表新曲，並通過Vlog和社群網路與粉絲們進行交流，擺脫了時間和場所的限制，粉絲層也變得更加多元化和深厚。

❶ EXO（2012年出道）由12名成員組成，根據成員的國籍分為兩個小分隊，曾經以韓語和中文版本演唱同一首歌的特別方式展開活動。

❷ BTS（2013年出道）可說是風靡全球，擁有世界性人氣的頂級偶像團體，並在韓國大眾音樂和大眾文化歷史上寫下了新的一頁。

❸ TWICE（2015年出道）由韓國、日本、台灣三國成員組成的9人女子團體，現為K-POP的代表性女子團體之一，在全世界享有超高人氣。

課程補充

- 口水歌（hook song）意指「鉤子」的「hook」和表示「歌曲」的英文單字「song」組合而成的韓國新造語。hook song 在中文語圈內並沒有統一的中文名稱，很多歌迷直稱口水歌。

BTS

第3章

血、汗，還有眼淚

2 ROOM
1 ROOM

已大略決定成員了，團名是不是也該訂出來了？
有提過幾個團名，這個是最終的候補名稱。

咻
Young Nation Big Kids

….

我希望他們能成為替同一輩發聲的代表，所以說…
「防彈少年團」怎麼樣？

什麼？
防…防彈？

是防彈背心的那個防彈嗎？
對，沒錯。

確實有很強大的感覺，但是防彈有點…
好像不是和偶像組合很搭的單字耶？
點頭
點頭

防彈少年團要抵擋的不是子彈，而是來自全世界的壓迫和偏見。
因為老一代的偏見、無形的隔閡所帶來的挫折與痛苦…
與此抗爭的10幾、20幾歲年輕人，這個名字的涵義就是要成為他們的代表。
민윤기－슈가
閔玧其—Suga
정호석－제이홉
鄭號錫—J-Hope
김석진－진
金碩珍—Jin
김남준－랩몬스터（RM）
金南俊—Rap Monster（RM）
김태형－V（뷔）
金泰亨—V
전정국－정국
田柾國—柾國
박지민－지민
朴智旻—Jimin
決定團名後，也確定了成員們出道將使用的藝名。

團名到藝名都定了，現在只要等出道就好了？
不過要等到什麼時候，沒～有任何人知道！

令人厭倦的練習生生活要結束了嗎？

其實，練習生生活就是辛苦的日子接連地到來。
拍
拍
拍
拍
停，停！動作錯了！

咳，咳！
跌坐
癱倒
啊啊，好累。

之前練習過的都去哪了？
Big Hit
特別是 rapper 南俊和曾經是演員志願生的碩珍，原本和跳舞就有些距離，對他們兩個人來說，跳舞實在是大難題。
真是個黑洞，舞蹈黑洞！

實在太貼
切了！
舞…
舞蹈…
黑洞…？

火
辣辣

那也是，我跳得比
碩珍哥好吧？
什麼啊，
我跳得比
較好！

點頭
點頭
所謂「半斤八兩」就是
這樣吧？
我比較好！
Big Hit
才不是！
我比較好！

不過，Suga
哥呢？

玧其成為練習生後，也經常在空閒時
間打工送外賣。
咻咻咻咻咻

但是有一天
哦哦—！
叭
叭

砰

因為意外事故，使玧其的肩膀嚴重
受傷。
肩…肩膀動不了！

隔天

Big Hit
忍住，
一定要忍住！

玧其沒辦法向任何人說出自己
肩膀受傷的事。
跳不了舞的話，
說不定會被趕出
去！

咕嚕
咕嚕

從今天開始你不要再去打工了。
什麼？您怎麼突然這麼說…？

你的肩膀現在應該很不正常吧？
啊啊啊！

您怎…怎麼知道的？
想騙誰！可惡的傢伙！

別擔心其他的，趕快去醫院接受治療，時間還很充足。

公司給了充裕的時間等待玧其身體恢復，甚至讓他不用去打工，提供經濟上的支援。
진료과목
정형외
통증클
謝謝您，這一切！

練習生每個月都要接受實力評價。

啊啊啊～！
什…什麼？時間怎麼過得那麼快？

距離出道日還很遙遠，但是月末評價怎麼會這麼快就來了？

天啊！
月末評價結果若是好的話，距離出道也就更近了吧？
這，這個…是這樣沒錯。

嚓

哇！感覺哥哥們這次
很有自信！
要逃離黑洞了嗎？
聽說他們很認真
練舞。
看起來是
這樣。
拍
拍
好，來看看這一個
月來練習的結果
吧！

Big Hit
嗯，的確
好多了。
哦？

柾國的動作準確，也沒有漏拍，不過舞中怎麼有種枯燥乏味感，為什麼呢？
從房時爀製作人那聽到「在舞蹈中感覺不到任何感情」的評價後，柾國全身無力。
其他的我不清楚，但我還以為我在舞蹈方面做得還不錯呢…
癱軟
那我現在該怎麼做呢？
嗯…不管怎麼說，還是離開比較好。
離…離開嗎？

柾國得到 Big Hit 經紀公司的支援，
去了美國洛杉磯的知名舞蹈學院。
咻
咻
咻
真是嚇我一跳！
柾國在這裡學習了各種舞蹈風格，舞蹈實力也迅速成長。
製作人，謝謝您！
哥哥們，等著吧！

我過得很好，別擔心。大家對我都很親切也很好，我和成員們也相處得很融洽。

啊，有人找我，我先掛電話了。

叮叮

在練習生時期，讓成員們感到最辛苦的就是無止盡的孤單和對未來的不安。
好想回家！好想念家人們。

練習生生活都已經到了第3年…
我們真的能出道嗎？

真的好累。

真擔心我們會不會就這樣一直被當作練習生，放著不管到最後。

Room 5
那些孩子…就放任他們這樣也沒關係嗎？
….

大家都會撐過去的，別擔心，我們就先靜靜等待吧。

但是孩子們是我們直接選拔帶回來的，這樣會不會太不負責任了…

我想看到防彈少年團成員們戰勝考驗，實現夢想的模樣，練習生生活也是成長的必經之路。
沒有經歷過磨練和痛苦的人，能代表其他人發聲嗎？

就如同房時爀製作人所希望的，成員們努力地熬過那段艱辛，終於一點一點地開始成長了。
發聲變得好多了！
哎喲～我們的老么，要不要吃點好吃的？
有困難一定要和哥哥們說。
Hit

★日就月將 每日有成就，每月有進步。

ARTIST

知識補充

第三個

成為專輯靈感的書籍

赫曼・赫塞的

《Demian：徬徨少年時》

性格格外敏感的少年辛克萊，因為偶然的事件，陷入善與惡的深淵。這時，朋友德米安拯救了辛克萊，一直到長大成人為止，只要辛克萊遇到矛盾或痛苦，德米安就會為他指明前進的道路。這本書的內容和帶來的啟示成為了2016年發行的正規2輯《WINGS》的基礎，在主打歌〈血，汗，淚〉的MV中，隨處都能找到《Demian：徬徨少年時》的要素，最具代表性的例子就是在MV中Jin專注地看著牆上掛著〈叛逆天使的墮落〉畫像的模樣。在《Demian：徬徨少年時》中，惡不是壞事，而是成為穩重之人的一個過程，MV中Jin所看的畫像中「墮落天使」就是象徵這種惡。

娥蘇拉・勒瑰恩的

《風的十二方位》

娥蘇拉・勒瑰恩是一位撰寫科幻、奇幻小說的匠人，這本書了結合17篇短篇小說編製，雖然科幻、奇幻題材經常給人「以趣味為主寫出來的輕鬆讀物」的印象，但娥蘇拉・勒瑰恩的作品中包含了人類學、心理學、哲學、女權主義等議題和深層的意義。特別是這本書收錄的〈離開奧美拉城的人〉篇，對BTS在2017年發表的專輯《YOU NEVER WALK ALONE》中收錄的歌曲〈春日〉有很大的影響。「奧美拉城」就像天堂，是一個一切都很完美的人間樂園，但是這個城市的幸福，全都是依靠一名長年禁錮在伸手不見五指、骯髒污穢的狹小地下室裡的一個營養不良的孩子所換來的。在〈春日〉的預告片中，BTS成員們住的房子的名字被設定為奧美拉，如果讀過小說的話，不難看出兩部作品之間的共同點。

村上春樹的

《1Q84》

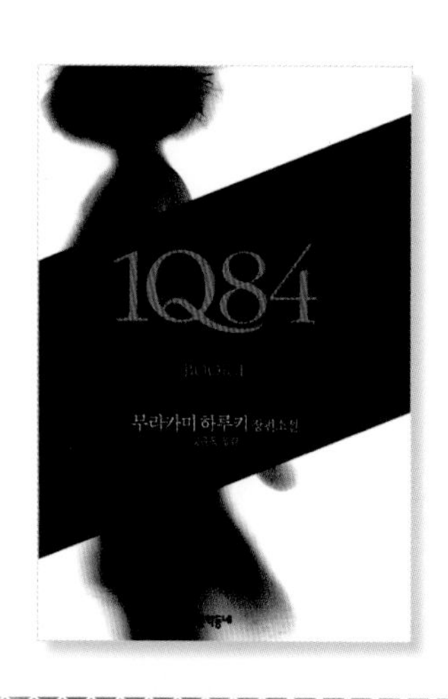

健身教練兼暗殺者的青豆，和職業為升大學補習班的數學教師兼作家的天吾，將各自負責新的工作，不過從所做的事情到所生活的地區，原本互不

相連的兩位主角，他們之間開始出現了驚人的連結。BTS的隊長RM在讀這本書中「存在著希望之處，必然也有試煉」的句子時，特別有感觸，所以刻意將這句話作為歌詞，加入在2017年推出的專輯《LOVE YOURSELF承‘HER’》的收錄曲〈大海〉之中。

詹姆斯・多堤的

《你的心，是最強大的魔法：一位神經外科醫師探索心智的祕密之旅》

作者父親是會家暴老婆的酗酒老公，母親則患有憂鬱症，加上出身貧窮，因此度過了非常不幸的童年時期，自己也在不知不覺中陷入黑暗和消極的想法裡。有一天，偶然在魔術商店遇到露絲奶奶後，向奶奶學習「改變人生的魔法」，從此生活開始慢慢地有了變化。這本書也奠定了2018年發表的專輯《LOVE YOURSELF轉‘Tear’》中收錄曲〈Magic Shop〉的基礎。

莫瑞・史坦的

《榮格心靈地圖》

這本書是在介紹創建「分析心理學」的心理學家——榮格的理論，榮格主張

「假面、影子、自卑感」等心理可分為9個領域，並且用地圖來比喻榮格的心理學理論。2019年發表的專輯《MAP OF THE SOUL : PERSONA》便是以這本書為基礎，受到很大的關注。在書和專輯名稱中出現的「persona」有「帶着面具的人格」的意思，也有為了展現給別人看，而脫下面具，想讓他們看看「真正的我」的涵義。

埃里希・弗洛姆的
《愛的藝術》

一直以來人類最關心的「愛」，是自然的「感情」，還是必須要學習與熟練的「技術」？作者埃里希・弗洛姆是一位精神分析學者，他主張「愛不像魔法一樣神祕，而是可以學習和發展的技術」，從1956年首次出版至今，不斷地被人傳閱，是一本世界級暢銷書。而這也是影響BTS的《LOVE YOURSELF》系列和《MAP OF THE SOUL : PERSONA》的其中一本書。

BTS

第4章

BTS Invasion

…所以我們正打算積極利用新媒體。
您不能先下來再說嗎？
…。
對啊，脖子好酸喔。
新媒體？
所謂的新媒體，就是以網路為基礎的社群網站和影像、影音串流服務。

和粉絲交流、分享，還有共鳴！這就是成功之鑰，沒有比社群網站更合適的！呵呵

我知道了，您就先下來吧！
抱歉。

2012 年 12 月 17 日，防彈少年團正式開通推特帳號和 YouTube 頻道。
我們只是個還沒出道的練習生…誰會關注我們啊？
如果有什麼看點的話，應該會有更多人來關注我們吧！

從那天起，成員們就開始用空閒時間拍攝他們日常的模樣，不論是練習生生活，還是個人日常，全都毫不保留地公開。
Big Hit

哇～你看瀏覽數。
有這麼多人在關注我們啊？

我還以為要上傳一些帥氣的影片，瀏覽數才會高呢。
那種影片也不錯，不過日常的模樣更讓人覺得容易親近吧。

沒錯，比起完美的人，稍微有些粗線條的人反而更有好感。

不過拍攝的時候，應該稍微編輯一下，我也太不上相了吧？

一個月後
鈴
鈴
鈴
鈴
鈴

猛然
新歌發布會的日子定出來了！孩子們，終於要結束這漫長的練習生生活了！

咦？大家去哪了？

我們…
在…
這裡…
！

天阿，你們…！

我一整夜都
睡不好。
怎麼這副
德性？

準備要睡覺了，
但是…
但是？

我充分理解你們緊張又興奮的心
情，但沒什麼好擔心的，因為你
們一直都很努力！你們一定會得
到相應的回報。

太興奮了又雀躍，然後又
開始興奮，接著雀躍…
好了！

咻
咻

哦！

Music Store
你看，是我們專輯的海報！
天啊，真的耶！
2 COOL 4 SKOOL
BTS
2013 年 6 月 12 日，防彈少年團的出道單曲《2 COOL 4 SKOOL》發行了。

好感動，真的！
咻
咻
這天終於來了！

隔天，6 月 13 日，防彈少年團透過音樂節目正式出道了。

啊 啊 啊 啊

同年 9 月，發表了首張迷你專輯《O!RUL8,2?》，忙碌地接了許多活動。

防彈少年團出道才 6 個月就席捲了各種音樂頒獎典禮的新人獎。

防彈少年團的成員們，現在不論去哪，都是眾人焦點，不過就算這樣，
結束行程後，也依然像練習生一樣勤勞地練習。

多虧辛勤練習的結果，第二張迷你專輯《Skool Luv Affair》
在音樂節目中被提名為第一名候補。
現在才是開始！
RAP MONSTER
SKOOL LUV AFFAIR
我要用獎盃填滿這裡！

防彈少年團出道這麼快就
一年了。
Room 1
來看一下這段時間的評論，
和大眾的反應…

從之前的成果來看，可以說是成功了。
也有不少人說因為歌詞低俗，內容又帶有批判性，有些反感。
不過並不是只有正向評論。

特別是，有人指責說
根本就是模仿美國嘻哈音樂的山寨版。

3
練習室

原來大家想的不是全部都和我們一樣。

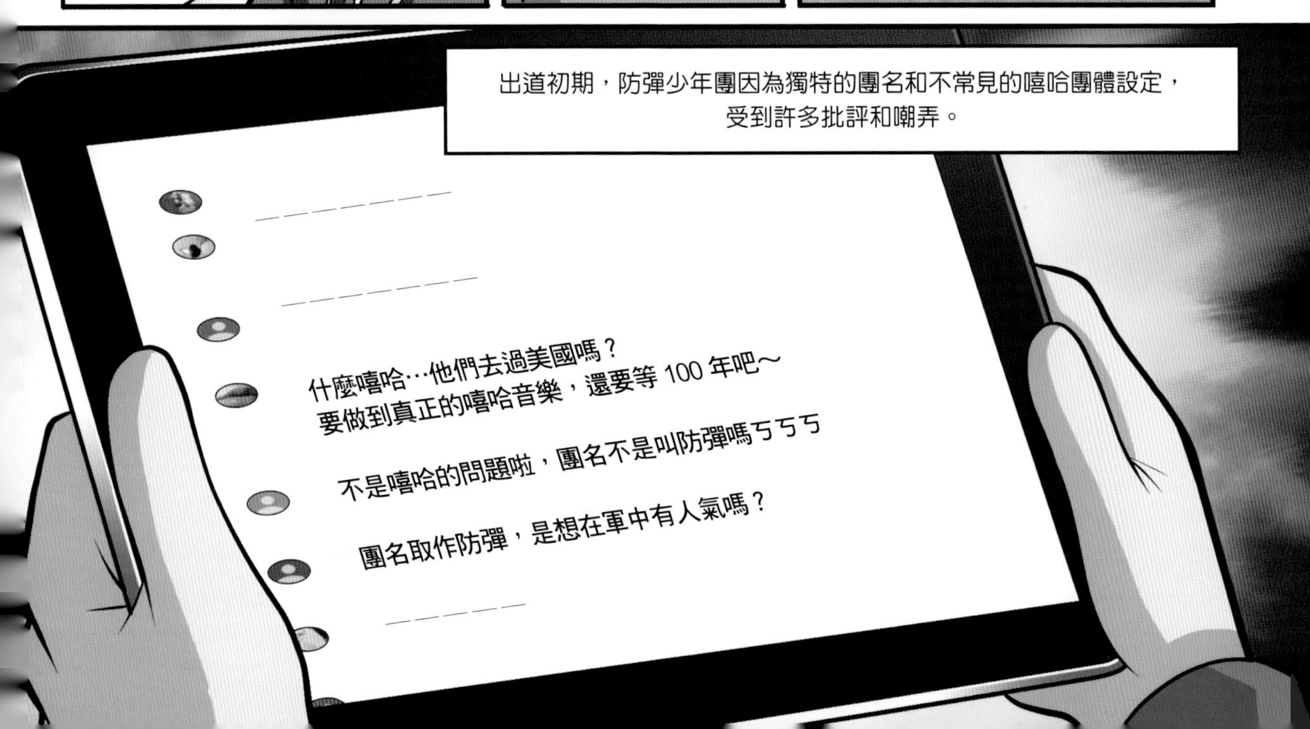
出道初期，防彈少年團因為獨特的團名和不常見的嘻哈團體設定，受到許多批評和嘲弄。
什麼嘻哈…他們去過美國嗎？
要做到真正的嘻哈音樂，還要等 100 年吧～
不是嘻哈的問題啦，團名不是叫防彈嗎ㄎㄎㄎ
團名取作防彈，是想在軍中有人氣嗎？

特別是南俊和玧其收到地下樂團的饒舌歌手許多批評。
批判性的歌詞和粗俗的表現法等，這些都屬於個人取向問題，不要在意。
以後也繼續用你們的方式做、做你們想做的，知道了嗎？
果然是我們的製作人！
是！
還有作為嘻哈團體，最根本的問題是…

如果你們成為真正的嘻哈人士，
不就沒問題了嗎？立刻去美國，
7個人都去！不要再讓我看到這
樣的事了。
Big Hit
什麼？
美國嗎？
立刻？

防彈少年團的成員們為了學習及熟悉本土的
嘻哈文化，去了美國ＬＡ。
咻
咻
咻

在美國等著防彈少年團的人，正是美國知名
的嘻哈歌手——Coolio。
Hi～！

天啊，
那個人是…
太棒
了～！

在這個真人秀兼嘻哈學校中，成員們完成各式各樣的任務，展現出完全不同的面貌。

首爾

現在讓所有的成員都能盡量地參與專輯的製作，你們覺得怎麼樣？

不知道哥哥們怎麼樣，不過依我的實力還有很大的不足。

好像還是請專門作曲家作曲比較好。

就這樣，第三張迷你專輯《花樣年華 pt.1》誕生了！所有成員都參與作詞和作曲。

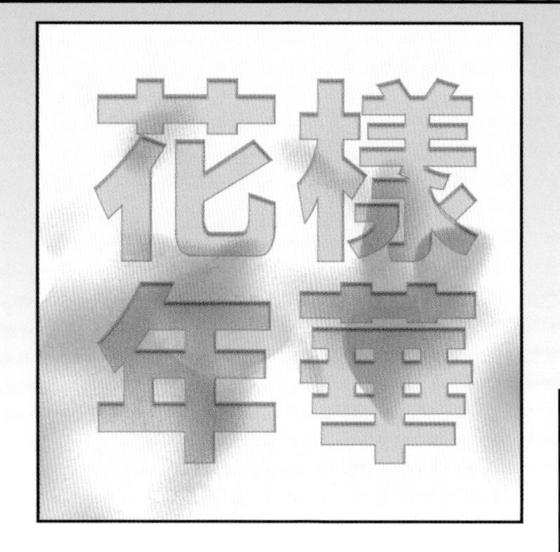

出道初期，演繹 10 幾歲少年花樣的生活；成員們透過這張專輯，開始紓解 20 幾歲青少年的苦惱和社會問題。

幾個月後
本週眾所期盼的
第一名是…
MINWOOK
SOOMIN

咕
嚕

BTS！
防彈少年團！

終於拿到第一名
了！

第一次見面時，還只是
剛來首爾的毛頭小子，
現在都長那麼大了！

在繁忙的工作中，防彈少年團並沒有停止經營社群，
特別是音樂影片和成員們的編舞練習影片，
在網路上很受歡迎。
哇…絢麗的色彩、華麗的編舞…歌曲也很優秀，視覺上也很出色！

舞蹈好夢幻！7名成員怎麼能跳得一模一樣呢？

這個我一個人看太可惜了，一定要推薦給朋友。

舞蹈好帥，我也跟著跳一次看看好了？

積極的海外粉絲們，親自拍攝並上傳自己模仿防彈
舞蹈的影片，一瞬間，流行在全世界青少年間。

2015 年 11 月

代表，請問你在哪裡？

天，天啊…代表…
呼
呼
呼
？

代表！您看過新聞了嗎？

請看一下這個！
WORLD ALBUMS
171
172
173
174
175
176
177
178
179
180
喔喔，這真是一個好消息！

登上「告示牌排行榜」（Billboard）很厲害嗎？
就是說啊，和「Melon排行榜」差很多嗎？

「告示牌排行榜」指的是登上美國音樂雜誌《告示牌》，每週最受歡迎歌曲和專輯排名。

這個排行榜在全世界最具大眾性，也最有公信力，所以只要是從事流行音樂的藝人，大家都希望名字能被登上。

啊～原來是這樣！
ARMY

美國市場終於開始
注意到防彈了嗎？
這樣的話，現在
開始著手英語專
輯怎麼樣？

還是，考慮和美國大型
音樂企劃公司簽約…

只要是防彈少年團的海外活動，不論是
推廣或是支援，都會全力支持，但未來
並沒有在美國推出英文歌的計畫。

您的意思是要放棄這
麼好的機會嗎？唱英
文歌的話，就能擴展
海外粉絲…

唱英文歌的話，還能
叫K-POP嗎？
不要做出會破壞自身
整體性的行為。

跨越語言的障礙，是不是也意味著和防彈心靈相通？
如果這樣的成果不是偶然的話，之後發表的專輯也會成功的，等著看吧。

就如同房時爀製作人所說的，2016 年 5 月發表的專輯《花樣年華 Young Forever》登上了「告示牌」200 強專輯榜的第 107 名，而 10 月發行的第 2 張正規專輯《WINGS》則登上了「告示牌」200 強專輯榜的第 26 名。
第26名
第107名

可以說防彈少年團開始進攻了！

2017年5月21日 美國 拉斯維加斯
啊
啊
啊

喀擦
喀擦

啊啊～
BTS ！

匆匆
忙忙
防彈少年團成為了首位收到美國最大的音樂典禮
「告示牌音樂獎」正式邀請的 K-POP 團體。
今年的最佳社交媒體藝
人獎的主角是…
BTS ！
啊
啊
啊
啊

防彈少年團在這裡打敗了世界級的流行歌手，獲得
「最佳社交媒體藝人獎」，這獎項僅頒給最佳團體歌手。

我的天啊，我們國家的歌手竟然能打敗那些重量級流行歌手！
而且在全世界實況轉播…

這麼受歡迎，是誰啊？
哇，真的很有人氣耶？
左邊數來第三個男生，不覺得他真的長得很帥嗎？
今天第一次看到，真的好帥！

CBS
abc
NBC
特別是，11 月全美音樂獎之後，接連上了美國知名的脫口秀節目，被譽為世界級巨星兼大勢藝人。

2019 年 5 月 美國
喀擦
Terminal
L1-09

咦？你看那個，他寫說：我們入侵了。
啊
啊
BTS invasion
사랑해
BTS

丂丂，怎麼會用「入侵」這個詞呢？
驚

大概是在形容「英倫入侵」吧？
喀
啊啊

英倫入侵是 1964 年英國搖滾樂和披頭四進軍美國時，
美國媒體們使用過的詞語。
曾經自詡為世界第一的美國音樂界，因為被披頭四任意擺布而受到打擊。

啊，所以才用「入侵」這個詞來比喻呀！
喀擦
喀
I ♥ 지민

另外，據說當時披頭四上了《艾德·蘇利文秀》後，該節目達到美國電視史上最高的收視率。

順帶一提，你們演出的地方也叫艾德·蘇利文劇院。
天啊，真的嗎？
BTS invasion I ♥ BTS!!
♥ 정국

沒錯，現在幾乎和當年的盛況差不多了。

能和披頭四相提並論
實在太榮幸了！

K-POP，還有
防彈少年團進軍
美國！越想越高
興呢。

啊啊啊…
不會吧，
肩膀！

suga哥，怎麼了？
突然肩膀痛嗎？
呃呃呃…

因為被寄予厚望，突
然覺得肩上擔子變得
更重了。

什麼啊，
嚇我一跳！
嘻嘻～被
騙了吧？
哈哈哈
砰

ARTIST

知識補充

第四個

挑戰美國告示牌排行榜的歌手們

「告示牌排行榜」是？

1896 年當時告示牌的標誌

「告示牌排行榜」是指在美國音樂雜誌《告示牌》每週公布的大眾音樂人氣排行榜，從1940年代開始發表美國大眾音樂的人氣排名。美國可說是全世界流行音樂的中心，因此登上告示牌排行榜也意味著登上全世界流行音樂的中心。

billboard

「告示牌排行榜」是怎麼統計出來的？

告示牌排行榜會根據語言、音樂類型、消費媒體等而有各式各樣的排行榜，不過，能判定歌手人氣最具代表性的排行榜是「告示牌百大單曲榜」和「告示牌200強專輯榜」，「告示牌百大單曲榜」是指一首歌人氣的單曲排行榜，「告示牌200強專輯榜」則是以唱片銷量排名的專輯排行榜。

「告示牌排行榜」的排名選定方式

百大單曲榜：	廣播影響力＋唱片銷售量＋線上媒體串流
200強專輯榜：	唱片銷售量＋線上媒體串流

告示牌的唱片銷售量統計方式

① 實體音源銷售

② 數位音源下載次數換算成實體銷售的數值

（音源下載10首＝實體唱片1張）

③ 媒體串流次數換算成唱片銷售量的數值

（媒體串流1,500首＝實體唱片1張）

ARTIST

創下「告示牌排行榜」紀錄的歌手們（以「告示牌百大單曲榜」為準）

★披頭四

英國的搖滾樂隊披頭四創下紀錄，得過20幾次「告示牌排行榜」的第一名，直到數十年過後的今天，這項紀錄仍然沒有被打破。

★瑪丹娜

「流行樂一代女皇」瑪丹娜被選為全世界女歌手的偶像，原因是她足足有38次上榜了「告示牌排行榜」前10名中。

★麥可・傑克森

被稱為「流行音樂之神」的麥可・傑克森在1995年以〈You Are Not Alone〉一舉登上「告示牌排行榜」榜首，也就是說得到大眾壓倒性的支持。

★凱莉・克萊森

凱莉・克萊森以2009年發表的歌曲〈My Life Would Suck Without You〉以第97名之姿進入「告示牌排行榜」，接著創下不到一週就登上榜首的紀錄。

★謎幻樂團

另類搖滾樂團「謎幻樂團」在2012年發表的〈Radioactive〉這首歌在「告示牌百大單曲榜」上足足停留了87週。

登上「告示牌排行榜」的韓國歌手（以「告示牌百大單曲榜」為準）

★Wonder Girls　Nobody（2009年，第76名）

2007年出道，不僅在韓國，在亞洲也獲得超高人氣的5人女子團體。2009年在美國發表的單曲專輯《Nobody》成為韓國流行音樂史上第一個登上「告示牌排行榜」的歌曲，也是亞洲音樂界這50年來的第一次。

★PSY　GANGNAM STYLE（2012年，第2名）／GENTLEMAN（2013年，第5名）
HANGOVER（2014年，第26名）／DADDY（2015年，第97名）

2001年出道的男歌手兼饒舌歌手、創作歌手、製作人。2012年發表的〈江南style〉以詼諧逗趣的MV大受歡迎，紅遍全世界，還登上「告示牌排行榜」，之後發表的歌曲也曾一度受到世人的關注。

★CL　LIFTED（2016年，第94名）

2009年以團體2NE1出道，並擔任隊長，於2016年開始以solo歌手活動。2016年在美國發行了首張單曲專輯《LIFTED》，登上「告示牌排行榜」第94名，也是第一位上榜的韓國solo女歌手。

★BLACKPINK　DDU-DU DDU-DU（2018年，第55名）／Kill This Love（2019年，第41名）

2016年以4人女子團體出道，才幾個小時出道曲就登上國內榜單的第1名，擁有超高的人氣，特別是在2018年發表的專輯《SQUARE UP》主打歌〈DDU-DU DDU-DU〉登上「告示牌排行榜」的第55名。

BTS

第5章

超級巨星的祕訣

2017年5月21日「告示牌」音樂獎授獎典禮
billboard
2017
MUSIC AWARDS
今天有各種類型的藝術家和觀眾到場祝賀。

BTS的粉絲們也在這裡嗎？

啊
啊
哇

啊 啊 啊
啊 啊
啊 啊

防彈少年團的人氣之所以可以超越世界知名歌手，
都是因為背後有「A.R.M.Y（阿米）」的支持。
啊 啊
哇
啊 啊

ARMY？
是指軍隊嗎？
啊 啊
哇

啊
啊
這樣的吶喊聲，
要說是軍隊我也
相信。
啊

A.R.M.Y是「Adorable Representative MC for Youth（值得人們景仰的青春代表）」的簡稱，也是BTS的官方粉絲名。

啊啊
啊啊啊

哇，阿米們現在是在唱韓文歌嗎？

我完全聽不懂，應該是這樣吧。

不過，BTS的粉絲們是真的了解這首歌的歌詞內容才跟著唱的嗎？

當然囉！阿米們都會將BTS的歌和採訪等翻譯後，再分享出去呢。

我們不僅僅是喜歡BTS而已，還會透過各種途徑積極幫忙宣傳活動。

從2016年開始，美國阿米經營的推特「@BTSx50State」非常有名。
BTS
50 States
BTSx50States

這個推特戶由美國 50 個州的阿米組成，並在各自所在的區域，向電台推薦 BTS 的歌曲，讓 BTS 的音樂能被美國聽到。
當然！
我們是歌手耶。
你們知道在告示牌排名中廣播影響力占的比重很大吧？

大部分都是些毫無理由的偏見和輕視。

追蹤中

Radio DJ
@radiohistory115

…本廣播頻道無法播放您所申請的 BTS 歌曲，我們只播放大家聽得懂的「真正的歌曲」，盼往後能減少申請 BTS 歌曲之情形。

下午 4:45 2015 年 3 月 20 日

530 則留言 **860** 個喜歡

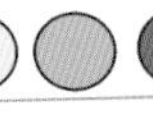

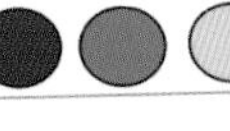

50 530 860

頭像：新增留言

意思是，聽不懂的音樂
就不是真正的歌曲嗎？

對啊。
喔，這樣說也
太過分了。

阿米們今天也
來了呢。
因此我們並沒有止步於推
薦歌曲，而是開始與廣播
DJ交流。
透過社群網站，我一直在
告訴大眾BTS是在音樂上
才華出眾的藝術家，對我
們來說意義非凡。

申請實在多到無法忽視
了，就當作測試，播一
首試試看吧？

因為阿米們持續的
努力，對BTS歌曲
選曲猶豫不決的廣
播電台開始慢慢有
了改變。

就這樣過了幾個月後，數百個
廣播頻道開始播放BTS的歌曲。
AUDIO TREE

結果就是那個吧？
沒錯！

一直到幾年前為止，都被拒絕選曲的 BTS，在 2019 Radio Disney Music Awards 上成為「全球人才」（GlobalPhenom）獎得主。

更令人欣慰的是，BTS成員們都知道我們的付出，並不時地表示感謝。

不論是藝人，還是粉絲都非常熱誠，你有看過這麼有組織的粉絲文化嗎？
搖頭
搖頭

BTS Weverse：BTS 的全球性社群
BTS Diary：提供與 BTS 相關的各國報導翻譯服務
BTS Wiki：以 BTS 為主的維基百科

一開始光是愉快的旋律、華麗的MV、出色的舞蹈實力，還有成員們的衣著就吸引了大家的目光。
好像在看一部電影！
要怎麼樣才能跳成那樣呢？
OFFICIAL
我也想穿成這樣。
不過，BTS與其他歌手的不同之處在於歌曲中包含了特別的寓意。
日與夜的領域，兩個截然不同的世界來自兩相對的極端，在此時此刻互相融合。

突…突然說這什麼話啊？
What the…？
這是在專輯《WINGS》提前公開的預告片中所出現的旁白。
也是小說《Demian：徬徨少年時》中的內容，少年轉變成青年的心路歷程，熬過誘惑和慾望，領悟到罪惡的過程就是《WINGS》專輯的主要內容。
《Demian：徬徨少年時》是 1919 年德國文豪赫曼．赫塞所發表的小說，這是一部講述生活經歷無數的混亂和驚恐的傑作。

意思是說以《Demian：徬徨少年時》為原型而製作專輯呀，這對偶像來說有點深奧吧？

我的天，我不要！為了要理解歌曲，還得要讀古典文學嗎？

不過這不也是正面的影響嗎？
至少比玩電玩更有發展性。

再加上BTS的歌曲對於談論黑暗又沉重的主題毫不避諱，不論是校園問題，還是社會規範，甚至是精神疾病！

啊，我知道了，然後在最後會傳達出正面的訊息，對吧？
沒錯！

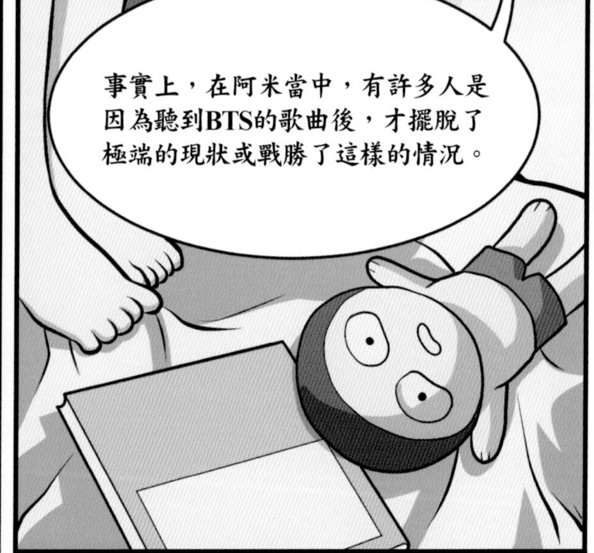
事實上，在阿米當中，有許多人是因為聽到BTS的歌曲後，才擺脫了極端的現狀或戰勝了這樣的情況。

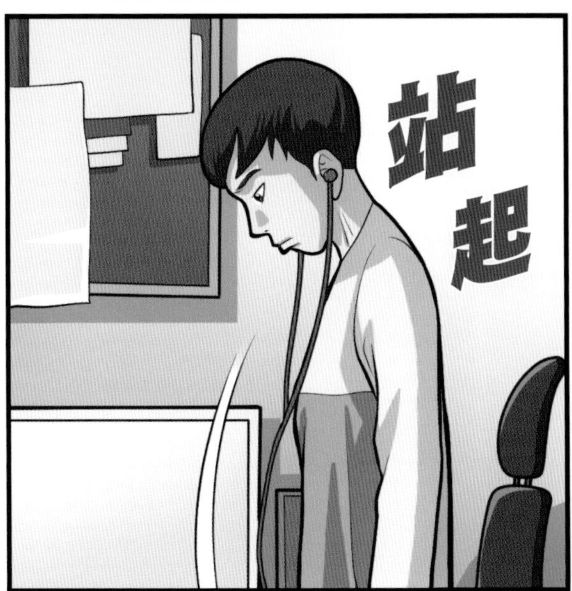
站起

天啊，這是真的嗎？
這麼有影響力嗎？
那我也得
聽一聽。

雖然有很多粉絲對
藝人有著滿腔的熱
情和愛心，但也經
常脫飯。

不過對於阿米們來說，
該怎麼形容BTS呢，大
概就是精神指標吧！
沒錯，就是
這個。

歌曲中包含著在生活上的正向訊息，BTS的
粉絲，不論人種或年齡，都非常多樣化，
雖然是男子團體，但男性粉絲也相當多。
粉絲團成為一個
龐大的組織呢。

天啊！專心講解著，表演
竟然就結束了。

轉
一撇

受到 BTS 正面影響的阿米們，帶著這份善意，努力地施予他人。
鈴鈴鈴鈴

這裡是阿米援助中心，需要什麼幫助呢？
……我有煩惱。

被稱為「AHC」的阿米援助中心聚集全世界 BTS 的粉絲，並對陷入困境的粉絲們給予情感上的幫助或支援。
我不知道未來該做些什麼。
沒有能傾聽我的大人。
人們只看我的外表評論我。
我受到霸凌。
這個中心和BTS成員或Big Hit經紀公司沒有任何的關係，由心理學者和精神科醫生組成的諮詢員們連報酬都沒有，但依然自發性地工作，我們只是想實踐BTS所傳遞的訊息。

Big Fandom Big Diff ce
One in An Army
美國某城市
這不是一支軍隊，而是由一群青少年所展開的志工服務，有趣的是，他們都是BTS的粉絲，稱為阿米。

妳喜歡BTS的原因是什麼？只是因為帥氣的外貌和舞蹈嗎？

不是！是因為BTS總是帶著積極樂觀的心，讓我很感動。

為什麼妳會被他們積極的心態所感動呢？

因為包括我在內的阿米們都清楚BTS成員們也曾經度過了艱難的時期。
Big Fandom Big Difference
-One in An Army

Big Fa
-O
也因為BTS讓經常懦弱又懶惰的自己感到很羞愧，曾經靜靜只坐著的我也站起來活動，想為自己和周遭的人做些什麼。
哇，看來，來自遙遠國家的少年們，對你產生了很大的正面影響呢！

阿米總是將自己的感情、錯誤、熱情、爭執等毫無保留地表現出來，就是這些給了我們靈感。
和我們7個人一樣的青少年們，應該如何面對生活，我們正努力將各種話題融入歌曲中。
所以，我們作為音樂人，會灌輸並告知粉絲我們應該要走的方向。
正因為有這樣的愛和後援，我們才能繼續下去。

ARTIST

知識補充

第五個

粉絲團文化，想知道這個！

RM充滿SWAG的Rap，智旻華麗的舞蹈，柾國可愛的臉龐……
被藝人俘獲芳心的瞬間，我們變成他們的粉絲，粉絲們一位一位聚集在一起，
組成一個稱為「粉絲團（fandom）」的巨大組織，粉絲團為了自己的藝人進行各種
活動，也演變成現今一種流行文化。

初期的粉絲團文化

韓國的粉絲團文化正式形成是從1990年代第一代偶像登場時開始的，每個粉絲團都特別準備了象徵自己藝人顏色等應援道具，而且事先定好口號，也就此展開應援戰，這種有組織的應援方式逐漸發展，成為韓國特有的粉絲團文化。

初期，粉絲團文化還不成熟，甚至引發紛爭，部分粉絲還將藝人的同事視為競爭對手，並自稱黑粉，因此經常有和其他藝人的粉絲發生衝突的事件，還出現了對藝人過於執著，不分日夜地關注藝人一舉一動的粉絲。

粉絲團的進化

大概在出現第二代偶像的時候，粉絲團也開始有了變化，不同於最初只熱情應援藝人的粉絲團，為了他們的人氣和成功，開始展開為有組織性的活動，像是參與音樂排名節目的文字投票，或者無止盡重播線上音源媒體，對排名造成實際的影響。粉絲團的影響力日益擴大，最近甚至出現了由粉絲（觀眾）們親自觀察練習生的練習過程，並評價其能力來選拔藝人。

不盲目支持藝人。與過去相比，粉絲團文化有了很大的轉變。如果喜歡的藝人引發社會爭議，或是做出令人失望的行為，就會積極表明「不支持了」，或是要求「希望向粉絲們道歉」，以此來督促藝人。雖然粉絲們非常疼愛藝人，但另一方面也要求身為消費者應有的權利。

ARTIST

展現成熟粉絲團　未來的阿米

BTS作為第三代偶像的代表，積極地透過社交媒體和粉絲們交流，對粉絲們來說，藝人再也不是憧憬的對象，而是能一起溝通、產生共鳴的存在，因為頻繁的溝通也提高了粉絲團整體的水準，BTS和「阿米」可說是很好的典範。最近，包括阿米在內的眾多粉絲團，不進行消耗性、高消費的應援，而是透過贊助、捐贈、志工等來表達對藝人的關愛，也就是說，雖然是以藝人為契機才聚集在一起，但重點已經不在於藝人，而是自己。

從消費者到生產者

粉絲團中一部分的人成為另一個生產者，親自拍攝藝人的照片和影片，並進行角色商品等二次創作，接著再賣給其他粉絲，既是作為粉絲來支持活動，又可以獲得龐大的收益，可以說是一舉兩得，粉絲團產銷合一，也滿足了粉絲們各種的需求。不過這也存在著一些問題，有些人會以賺錢為目標，惡意利用粉絲的心，出現將相關商品以高價出售的情況。

集體智慧

粉絲團還透過集體智慧*創造出驚人的結果，BTS的粉絲們利用集體智慧組成了「阿米讀書會」，另外，在上傳到YouTube的影片上，還能進行即時留言討論，觀眾只要點擊與防彈少年團相關內容，就可以留言並進行分析，阿米們製作了許多影片，並分享給全世界的人。

粉絲字幕共同體

BTS是先被粉絲們認識後才獲得人氣而進軍海外的例子。粉絲團裡的阿米與其他粉絲團不同，並不是權力集中於會長，或以其為中心的組織，所有的阿米們自發性的活動，必要時再組成小組織，共同完成目標。

韓國會員的阿米將與BTS相關的內容翻譯成英文上傳到社群網站後，再由全世界的阿米將其翻譯成越南語、葡萄牙語、阿拉伯語等分享出去。美國的阿米們將美洲大陸分為東部、中部、西部，再將幾個州合在一起，自發性地組成地區性的下級組織進行活動。舉例來說，不斷地向地區廣播音樂節目推薦BTS的音樂，或者巡視唱片店再要求他們引進BTS的專輯。

課程補充

・**集體智慧**（Collective Intelligence）無數個個體協力或合力生產並分享的一種共用的或者群體的智能。

BTS

第6章

Mic Drop

噠噠
噠
啊，不是這個！
噠
噠
噠
噠
噠

嗯…都過了一小時，他都還沒想好要在推特上傳什麼內容。
他在做什麼啊？
啊啊…該怎麼開始呢？

是要上傳什麼才
那麼煩惱？
是比較複雜或冗
長的內容嗎？

等…等一下！複雜
或冗長的內容…？

智旻，你不是有
什麼事吧？
不好吧，
哥！
是什麼驚人
的告白嗎？

我想上傳的
內容是…

首先想和阿米們說聲
早安，然後…
然…然後？

然後再上傳
自拍照。

真是白擔心一場！到底有什麼好煩惱的啊？又不是什麼厲害的內容！

對啊，就只是平凡智旻哥的照片而已。

no no，才不是這樣。
你看看追蹤人數，很多吧？所以我才苦惱。
我無意中說出的一句話，隨意寫下的一言一行，對某些人來說，都有可能造成傷害，一想到這些，光是日常的打招呼都變得小心翼翼。

我現在知道你在
擔心什麼了。
關注著我們的人，比起
過去真的多了不少。

不過好像沒有必要盲
目地害怕和退縮。

他還挺帥的嘛。
關注我們的人變多了，不就表示
我們更可以輕易地把好的想法和
心意，傳遞給大家嘛。
沒錯，我就是
這麼想的！
要不要做些有
意義的事？
好點子！

BTS 和 Big Hit 經紀公司從 2017 年 11 月 1 日起攜手聯合國兒童基金會，展開根除地球村兒童、青少年暴力的活動。
unicef
聯合國兒童基金會*從2013年開始了#ENDviolence（停止暴力）活動，這個計畫的宗旨是幫助全世界所有的兒童和青少年，讓他們能在沒有暴力的世界裡安全又健康地迎接未來。

BTS 和 Big Hit 經紀公司捐贈了 5 億韓元給聯合國兒童基金韓國委員會，並約定專輯《愛自己》（LOVE YOURSELF）部分銷售收益和慈善活動官方周邊商品販賣收入全額等，將會募款給聯合國兒童基金會來支援慈善活動。
BTS
LOVE MYSELF
#ENDviolence
방탄소년단
빅히트
LOVE MYSELF
#BTSLoveMyself
unicef
for every child
#ENDviolence
BTS的「LOVE MYSELF」活動目的是要向對自己失去信任，陷入痛苦的年輕一代，傳遞「要相信自己並愛自己」的訊息，因為對自己的愛和信任才是建立成熟又溫暖社會的基礎。

2 年後，2019 年 7 月 30 日，為了迎接「國際友誼日」，聯合國兒童基金會也公開一段獨家影片。

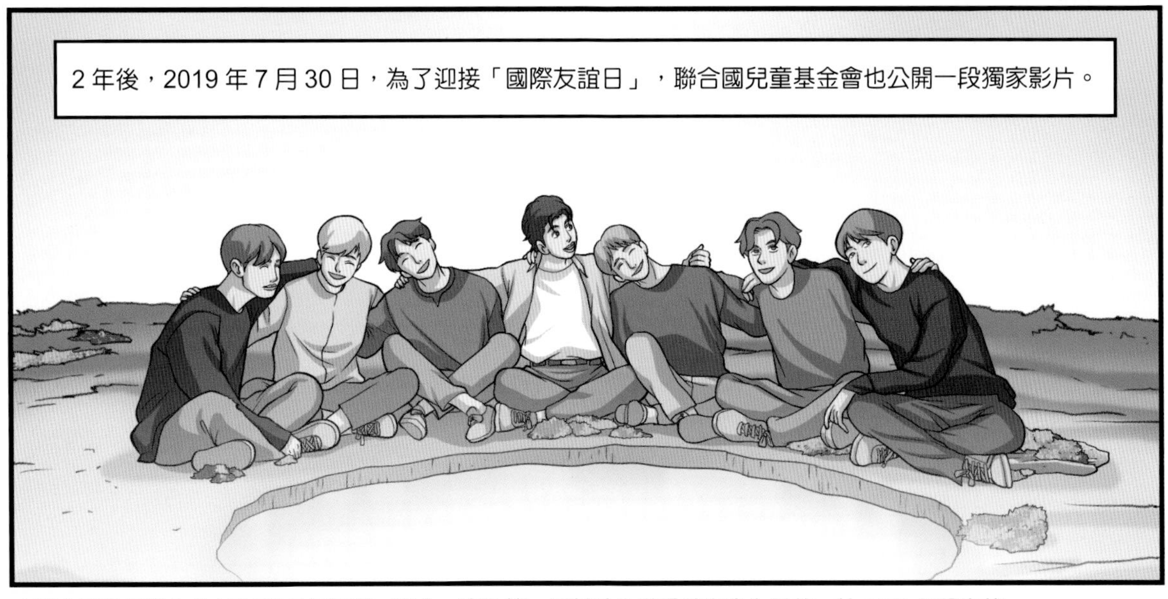

★**聯合國兒童基金會** 不歧視任何國籍、理念、宗教等，以幫助全世界的兒童為目的，於 1946 年設立的聯合國（UN）特別機構。

BTS 和聯合國兒童基金會特地拍攝一段影片，向遭受各種暴力侵害的全球青少年和兒童表示關心，並傳遞出一個訊息，那就是親切和友誼將是他們的巨大力量。

影片公開後，得到世界各國無數的粉絲深表同感，也因為 BTS 讓他們有了力量。
這是在說我的故事，都是我經歷過的事。
太帥了！非常優秀，這就是讓我不得不尊敬BTS的理由！
原來BTS和聯合國兒童基金會合作了！
孤立別人，折磨他人的人本身也有問題！
BTS總是傳達出重要的訊息，真感動！
意思是不要歧視各人種、宗教、理念和性別。

孤立和傷害某人是一件不好的事。是不對的！
就是這個！具有強大影響力的BTS就該參與這種活動！

真的是一段深入人心的影片。

展現出 BTS「正面影響力」的決定性事件是 2018 年在聯合國的演講。
美國紐約 聯合國總部
2018 年 9 月 24 日 BTS 為聯合國兒童基金會的青年議題《Generation Unlimited》發表活動代表全世界青年發言。

…當時我只是個平凡的男孩，非常快樂的度過童年。

…在我們初期專輯裡，其中有首序曲，有這樣的歌詞：「我的心臟在九、十歲的時候停了。」

當時我開始擔心別人是如何看待我的，並且開始透過別人的視角來審視自己。

很快地，我扼殺了自己的聲音，我的心臟也停止跳動，雙眼也緊緊閉合，不過我還有個避風港，那就是音樂。音樂呼喚著我，輕柔地對我說：「醒醒啊，還有傾聽自己的聲音。」…也許我昨天也犯了錯，但今天的我，今天也會犯下錯誤。即便昨天失誤了，但那依然是我，今天帶著缺點與過錯的我，也依然是我。明天的我，可能會變好一點，但那也是我。
無論你是誰、在哪個國家出生、你的膚色、性別認同是什麼，都為自己發聲吧！透過表達自己，找到自己的名字和聲音。
代表 BTS 的隊長 RM，真誠的演說，向全世界青少年傳遞了令人感動的訊息，也引起巨大迴響。

今天，我們就來談談BTS和阿米吧，我第一次認識BTS是因為聽眾中有人申請了他們的歌曲。
我因為好奇，決定仔細了解BTS。
BTS？不是K-POP歌手嗎？
但是BTS和其他男子團體完全不一樣。
oh,my god！他們到底是什麼？

從他們的專輯和歌曲裡，可以感受到真實感和坦率，不必盲目追隨和迎合社會的期待，現在這樣也沒關係…
所以包含了要愛自己這樣的訊息，非常新鮮，也感到衝擊。

其實，在美國，受歡迎的歌曲中，讚揚毒品和美化犯罪的內容相當多，理所當然的，歌曲中也充斥著負面的歌詞。
在惡劣環境中長大的人們，會將自己所受的傷用更粗魯、刺激性的歌詞向世人訴說。
POLICE
不過BTS不一樣，光是看支持他們的阿米就可以知道了。
阿米們都說是BTS和歌曲改變了他們！
BTS的7名少年帶動的改革風氣，比想像中還強烈，當然，至今都還有許多人因此感到驚訝或被感動。

2019 年 6 月，成功結束世界巡迴演唱會的 BTS，得到全世界粉絲和媒體的稱讚。
BTS TAKING 'EXTENDED BREAK'
BTS成為首位登上英國溫布利球場的韓國歌手，創下了新歷史。只有世界級藝術家才能登上溫布利球場進行演出，這也意味著BTS已經躋身世界級流行音樂團體。
BTS越過語言的限制，成為世界級團體，BTS的成功可能比披頭四更了不起。
LIVE
CNN
STAR POWER
KORE BAND BTS TAKES UNITED NATIONS STAGE
LE MONDE diplomatique
미국의 사회주의 열풍, 왜 지금인가?
LE FIGARO
BTS, les Beatles de la génération YouTube
SUCCÈS Le boys band sud-coréen joue à Paris, aujourd'hui et demain, à l'AccorHotels Arena. À guichets fermés. Analyse d'un phénomène de téléréalité dont le succès est devenu mondial.
The Telegraph
AFP

因為 BTS 不是大型企劃公司出身，而是由成員們親自製作歌曲、製片，
他們並不擔心展現出自己的熱情或煩惱，他們自信又帥氣地代表全世界發聲，
也因此得到矚目和肯定。
啊
啊
啊

BTS 帶著自己獨有的信念，努力地走在自己的路上，現在成為擁有全世界數百萬名粉絲的世界級藝人。任何人都擁有不了的巨大雙翼，只有 BTS ！全世界粉絲都在關注著這 7 名少年下一個行動。
啊
啊
啊
啊

了解關於聯合國

所謂的聯合國（UN）是？

1914年到1918年，以歐洲國家為中心而展開了第一次世界大戰，接著才過20多年，也就是1939年，第二次世界大戰展開。被稱為人類歷史上最慘烈戰爭的第二次世界大戰，不僅在歐洲，連非洲和亞洲大陸也變成戰場。結果，全世界幾乎所有國家，大部分人都在可怕的戰爭恐怖中度過了這艱難的時期，接連經歷艱困戰爭的人們意識到世界和平的重要性，因此誕生了聯合國（UN, United Nations）。這是一個以維持世界和平與安全，讓各國相互合作為目的國際和平機構，成立於第二次世界大戰結束後的1945年，現在全世界大部分國家都以會員國的身分加入。

今天的聯合國由五個主要機構和輔助主要機構的機關及專門機構組成。

聯合國
- **大會**　包含聯合國所有會員國的最高議事決定機關
- **安全理事會**　負責維護國家之間的和平與安全的機關
- **秘書處**　負責聯合國的所有營運事務
- **經濟及社會理事會**　指揮經濟、社會、文化、教育、保健等專門機構
- **國際法院**　為解決國家間的糾紛和爭議的常設裁判所

所謂的聯合國大會是？

聯合國大會每年在聯合國總部所在地——美國紐約舉行，由加入聯合國的所有國家一同參與確定聯合國應該要做的工作項目，並就正在進行的項目進行討論，大會決定的內容應對一個國家的社會、經濟、文化具有巨大的影響力。

受邀參加聯合國大會的BTS

BTS受邀參加議論國際社會的重要場合發表演說，不能說是一件令人吃驚的事情，這可以說是聯合國證明了BTS是世界上具有強大影響力的頂級歌手。不過，不是只要擁有高人氣就能有這樣的機會，BTS透過各式各樣的音樂活動，向全世界傳達「愛自己才是真正幸福的開始」的訊息，這與聯合國的特別機構——聯合國兒童基金會所追求的價值觀是一致的，也就是說，BTS不僅是代表全世界年輕人的指標，同時也是為他們指引前進方向的模範。

課程補充

・其他在聯合國大會演講的名人

在 BTS 之前也有其他在聯合國大會演講過的韓國人，那就是總統文在寅和滑冰選手金妍兒。文在寅總統在 2017 年就任後，連續 3 年在聯合國大會演講，主題當然是韓半島的和平。而金妍兒選手則是因為當時 2018 平昌冬奧會在即，便邀請金妍兒作為特別演講嘉賓參加第 72 屆聯合國大會，以二度參與奧運會選手，以及聯合國兒童基金會國際親善大使的身分，強調奧運會的精神與和平。

I AM
結束之前

喀喀
啊…！
唦
未來的計畫和目標
我總是只羨慕別人，從不關心他們為了成功做出怎樣的努力。
真是慚愧又寒心，但這樣的我就到此為止。現在開始試著改變吧！因為明天的我會比今天更好一點！

就算是現在，依然有很多年輕人因為考驗和困難，或是社會偏見和壓迫而痛苦不堪。

BTS 就是在向他們喊話。關於你，還有我所經歷過的痛苦，敞開心扉地說出來吧。為了克服艱辛的現在，努力動起來，不論輸贏，只要有希望和夢想，那就可以說是青春。
果然，英雄會是什麼模樣呢？

I AM

★ ★ ★ ★ ★

簡介

作者 金承顯

曾是電視紀錄片演員、出版編輯，現在則是為了給孩子們創造出有趣又有幫助的讀物東奔西走的作者。最新作品《kakao friends 科學偵探團——機器人》。

繪者 崔宇份

1997 年開始畫漫畫，2001 年起參與創作兒童教育漫畫。現率領彬工作室，以繪製更多元又有趣的兒童漫畫為目標。作品有《漫畫大英百科》、《楓之谷召喚英文魔法書》、《復仇者聯盟》、《DDOTTY & SLEEP GROUND》、《希臘羅馬神話漫畫》系列等書。

譯者 許文柔

畢業於中國文化大學韓文系。曾任韓國出版社中文翻譯，現為專職譯者，譯有《兔子 Alex 今天繼續練習幸福：孤獨與孤獨相遇，變成了一份愛》、《小小兵，你對我一見鍾情？》。

賜教信箱：krstxxi@gmail.com

SMART 28

INK PUBLISHING

BTS防彈少年團

作　　者　金承顯김승현
繪　　者　崔宇份최우빈
譯　　者　許文柔
圖片提供　達志影像
總 編 輯　初安民
責任編輯　宋敏菁　游函蓉
美術編輯　黃昶憲
校　　對　宋敏菁　游函蓉

發 行 人　張書銘
出　　版　INK印刻文學生活雜誌出版股份有限公司
新北市中和區建一路249號8樓
電話：02-22281626
傳真：02-22281598
e-mail : ink.book@msa.hinet.net
網　　址　舒讀網http : //www.sudu.cc

法律顧問　巨鼎博達法律事務所
施竣中律師
總 代 理　成陽出版股份有限公司
電話：03-3589000（代表號）
傳真：03-3556521
郵政劃撥　19785090　印刻文學生活雜誌出版股份有限公司
印　　刷　海王印刷事業股份有限公司

港澳總經銷　泛華發行代理有限公司
地　　址　香港新界將軍澳工業邨駿昌街7號2樓
電　　話　852-27982220
傳　　真　852-31813973
網　　址　www.gccd.com.hk

出版日期　2020年2月　初版
ISBN　978-986-387-330-3

定價　850元
特價　580元

國家圖書館出版品預行編目資料

BTS防彈少年團／金承顯 著／崔宇份 繪
／許文柔 譯--初版. --新北市中和區：
INK印刻文學, 2020.2
面；19×26 公分. --（Smart 28）
ISBN 978-986-387-330-3　（精裝）

I AM